梅兰芳艺术人生文丛

刘祯／主编

梅蘭芳
与『梅党』

◎张国强 编著

知识产权出版社
全国百佳图书出版单位
——北京——

「梅兰芳艺术人生文丛」的整理出版为北京市西城区文化艺术创作扶持专项资金2020年度扶持项目

序

"他在深厚传统和广泛吸收多家所长的基础上创造了极其精美的艺术。他不愧为现代世界上伟大的表演艺术家之一。他的艺术是近千年来中国戏曲艺术历史上的高峰之一。他是一代宗师,对一代艺术家发生了积极的、深刻的影响。梅兰芳是把中国戏曲舞台艺术介绍到国外,并获得盛誉的第一个戏曲表演艺术家。"(朱穆之《永不停步的革新精神——纪念艺术大师梅兰芳诞辰九十周年》）这个"他"，就是20世纪中国最伟大的表演艺术家之一——梅兰芳。

轻拂时间的尘封，走入历史的情境中，回看梅兰芳的一生，依然那么清晰，又那么熟悉。在20世纪初新与旧、古老与现代、东方与西方的文化碰撞和争持中，梅兰芳的出现，顺应时代要求和审美追求。他通过持之以恒的努力、追索，将京剧艺术推向了一个新的高度，也使得"梅兰芳"这一名字与京剧、与时代紧紧地联系在一起。而从中国艺术、中国文化的传承脉络来看，其实梅兰芳及其京剧艺术早已融汇到今天的舞台艺术和文化基因里。

演员是梅兰芳的职业，他以自己的努力和奉献，把京剧的旦行艺术推向了新的高度；同时，作为那个时代引领风气之先的人物，他的行为思想又与时代社会紧密联系，为人们所关注，成为时尚标志。而在那个动荡、变幻莫测的时期，梅兰芳洁身自爱，不随波逐流，注重自我品德修养，追求进步，为人中和而讲原则，是非分明；他身上的家国情怀，如傲雪红梅，如罾霜松柏，坚贞不屈，坚定不移。台上，他扮演了数以百计不同身份、不同性格的女性人物，个个美丽动人，熠熠生辉，善恶分明；台下，他是铮铮男儿，有血有肉，与人为善，助人为乐，热心公益，具有高度的文化自觉。他有开阔的视野和世界眼光，访日、访美、访苏演出，使中国戏曲得以走上世界戏剧舞台，形成与世界其他戏剧体系平等交流、对话的格局，进一步构筑和阐释了中国戏曲的体系特征，展示了中国传统文化的魅力，提升了中国文化和中国人在世界中的地位。

梅兰芳是 20 世纪伟大的京剧表演艺术家,是传承者,是革新者,也是一位绘画大家,是那个时代的时尚代表,是那个时代的文化表征,是那个时代的文化使者,是一位伟大的爱国者,是为人们所爱戴的人民艺术家。本文丛试图让人们了解和看到的就是这样一位血肉饱满、生动鲜活、爱憎分明、初心不改而多姿多彩的梅兰芳!

君子如党——梅兰芳与「梅党」

目　录

梅兰芳与冯耿光、陈蔼士、萧紫庭、吴锡永、吴震修、
齐如山、许伯明、舒石父、姚玉芙、程砚秋等人合影

导　言

　　1912年前后的梨园界，前承"同光十三绝"之余绪，后启"四大名旦""四大须生"之发端，可谓名角如林、群伶荟萃。梅兰芳何以能够脱颖而出，超越前辈和同时代演员，进而继谭鑫培之后荣膺伶界大王，执剧界之坛坫，这是一个颇为值得探究的话题。或许有人说，梅兰芳顺应民国初期戏剧改良的时代潮流，锐意进取，然而与之同时代的艺人无不受时代大潮所裹挟，岂独梅兰芳一人哉？或许有人说，梅兰芳天赋太厚，气质清丽静婉，扮相雍容妩媚，唱腔甜美婉转，做工贴切细腻，然而以嗓子唱功论，梅兰芳不及陈德霖；以身段做工论，梅兰芳不及王瑶卿。或许有人说，梅兰芳谦逊向学，勤奋用功，试想在梨园行拼生活的伶人哪个没有经历十年寒暑？转益多师，并非梅兰芳一人如此。诚然，以上种种都对梅兰芳的成名起到了作用，却不是梅兰芳得享盛名的最根本原因。那么，在战争频仍、动荡不安的时代背景下，到底是什么造就了独一无二的梅兰芳？这一谜题像巨大的磁石般强烈地吸引着大众，使人欲罢不能。作者在阅读大量民国史料和梅兰芳相关著述的基础上，接近了谜题的答案，将目光聚焦到梅兰芳背后的神秘群体——"梅党"身上。

在历史车轮的推移下，个人的力量是渺小的。举凡成就大功业者，无不得众人之力，收绿叶红花之效，犹如萧何、张良、韩信之于刘邦。梅兰芳也不例外，从自幼失孤的少年歌郎，到风靡南北的"剧界大王"，再到足迹遍及亚欧的国际表演艺术家，梅兰芳永远走在时代前沿，引领社会风尚，演绎了传奇而又精彩的一生。除梅兰芳精湛技艺、优美扮相、醇正唱腔等自身天赋和努力外，在他的背后有着这么一群"王的男人"，他们不像梅兰芳举世皆知，但若没有他们，梅兰芳或许只是个普通的伶人，泯然众人。对此，梅兰芳在《舞台生活四十年》中多次提及，"我这几十年来，一贯地倚靠着我那许多师友们，很不客气地提出我的缺点，使我能够及时纠正与改善"，"对我有过帮助的朋友，除了本界的前辈以外，有外界的戏剧界、文学家、画家、考据家、雕刻家……他们尽了最大的努力，来教育我、培植我、鼓励我、支持我。"这些话语中，既饱含着梅兰芳的感恩与谦逊，同时也向世人透露了一个不争的事实，那就是在梅兰芳的艺术发展过程中，确实存在一批倾心帮助过他的朋友。诚然，这些师友并非都是"梅党"，不过那些"倾心为梅"的"梅党"自然涵盖在内。

那么，什么是"梅党"？它何时出现的？有哪些成员？他们和梅兰芳之间有怎样的趣事？让我们揭开它神秘的面纱吧。

梅兰芳与冯耿光、陈蔼士、李释戡、许伯明、萧紫庭等

梅兰芳与冯耿光、齐如山、李释戡、黄秋岳等人合影

一、声名鹊起　伶界党争

1894 年，日本蓄谋已久的中日甲午战争骤然爆发，坚船利炮轰击着四万万国人的心，给当时末世衰颓的国家命运笼罩了一层阴霾。两个月后，一个乳名叫裙姊的男孩降生在北京前门外李铁拐斜街 45 号的宅院中，他就是梅兰芳。梅兰芳，名澜，又名鹤鸣，出身于梨园世家，父祖辈均业伶，其祖父梅巧玲为四喜班主，名列"同光十三绝"。在当时社会旧制和家庭熏染双重影响下，梅兰芳承继家学，顺理成章地踏入了梨园行，吃上了戏饭。梅兰芳八岁学艺，拜名伶吴菱仙为师，工青衣，后搭入喜连成班带艺演戏，以舞台实践锤炼技艺。不久，因倒仓退出喜连成，待嗓音恢复后，改搭俞振庭双庆社，隶文明园演出，进入主要演员阵容，有一定的叫座能力。虽然崭露头角，渐为人所知，不过能否成名角、享大名，还是未知数。可以说，此时是梅兰芳人生中最不得意的时候，不过恰如穆辰公《名伶成败谈之梅兰芳》中所说："有一人酷嗜此味，莫能或离，一力振拔之。未几何时，兰芳遂由幽谷迁于乔木。""有一人"即指梅兰芳一生至交冯耿光。彼时人们对于梅兰芳的追捧更多地表现为个人行为，其中尤以冯耿光为最力。此一时期，友人多从家庭生活和文字揄扬方面进行帮助，并密切关注梅兰芳的艺术发展。

梅兰芳访日前在上海与（左起）舒石父、梅兰芳、许伯明、
姚玉芙、吴震修、李释戡、齐如山、胡伯平合影

宣统末年，梅兰芳与朱幼芬、王蕙芳争雄于舞台，
为旧都菊坛旦角中之翘楚。此时，梅兰芳色艺兼美，剧
艺日进，深受一批遗老遗少、留日毕业生和京师译学馆

学生的倾力追捧。不过,"梅党"这一特定名称尚未出现。辛亥鼎革,国体更迭,受西方民主思潮影响,国人以"结党""立团体"相号召,或希望通过政党实现自己的政治主张,或企图在新的权力结构中找到自己的归属,以致各党派林立,党派之争愈演愈烈。其时,主要有国民、民主、共和三大党,由于彼此政见不一,争权逐利,倾轧成风,党争习气弥漫在整个社会。一时间,政客文士恶于政坛蝇营狗苟,不免失意落寞,遂以诗酒歌舞自娱,寄情于歌场声色,更将梨园方寸台比拟政坛名利场,结党立社,划分派别。梨园党争始自贾璧云之"贾党",1911 年武昌起义的战火打破了武汉这一戏码头的繁盛市面,为重振武汉衰颓的梨园行市,地方上特邀名伶贾璧云南下演出,两个月期满后遂转道上海大舞台演出。贾璧云双眸秀丽妩媚,扮相娇艳俏丽,颇得樊

冯耿光、梅兰芳、李斐叔、李释戡、
姚玉芙、齐如山等游长城

樊山、易实甫、狄楚青、孙玉声、包天笑等人推崇和揄扬，声誉鹊起，与当时上海新舞台青衣旦角冯春航形成竞逐舞台之势。诗人柳亚子及南社同人倾慕冯春航技艺，"上天下地说冯郎"，日有诗文见赠报刊。后双方在报端大开笔战，互相攻讦，一时有"贾（璧云）党""冯（春航）党"之目，是为梨园党争兴起之始。剧评家冯叔鸾曾撰《论剧界之党派》，对剧界党派之发生作了详细论述："夫剧界之有党也，始自贾璧云，人之党贾也，实以厌恶政党之翻覆污浊，故讬言与其势力结合，奉亡国大老暴乱渠魁为党首，无甯以色相取人，倾心低首于轻歌曼舞工颦善笑之贾郎，故此党发生之始，号称第四党，盖对于政党中之三大党而言也。乃一般醉心春航者，见而眼热，急不加察，贸贸然亦竖起一帜，曰冯党。"贾璧云南下上海演剧之时，"贾党"肇始，"冯党"继之而起，其后蔓延北京剧界，方有"朱（幼芬）党""梅（兰芳）党"，遂开梨园党争之势。穆辰公《伶史》中有"壬子夏，兰芳势益张，好事者为之结梅党，奉兰芳为党魁"，以梅兰芳为艺术核心，聚集了一批非梨园界的、欣赏、支持梅兰芳的人。

作为大众偶像的梅兰芳，舞台上下的一举一动、一言一行，牵动着社会上每一个人的神经。鉴于舆论导向在艺术传播中的巨大影响力，"梅党"重视梅兰芳社会形象塑造，拜访、宴请当地士绅、新闻界和票友界，始终与舆论界保持友好关系。"梅党"多文士，如罗瘿公、李释戡、黄秋岳、文公达、赵叔雍，诗文品题、"捧梅"文字日见报章，时常在《亚细亚报》《公言报》《申报》《时

梅兰芳与冯耿光、吴震修、李释戡、黄秋岳、赵叔雍、
姚玉芙等人合影

报》等报刊不遗余力地宣传，甚至出资刊印了第一部伶人专集《梅兰芳》。

　　因个人喜好不同，各捧其捧，党同伐异，以致党社如春笋丛生，社会对于这些捧角迷党冠以谑称，如"痰迷"（捧谭鑫培者）、"黄病"（捧黄润甫者）、"羊迷"（捧杨小楼者）、"瑶痴"（捧王瑶卿者）、"梅毒"（痴迷梅兰芳至深者）、"尚党"（捧尚小云者）、"白社"（捧白牡丹者，后改名为荀慧生）、"尝鲜团"（捧坤伶鲜灵芝者）等。

冯耿光

二、"梅党"龙虎榜

　　1913 年，梅兰芳生平头一遭外出跑码头，来到了十里洋场的大上海，迎来了人生中的一大契机。年仅二十岁的梅兰芳，凭借年富力强、扮相俊美倾倒沪人，在上海掀起一股梅氏旋风，成为风靡一时的当红明星。此后，梅兰芳兼修昆曲，剧艺益精，声望日隆，宛如鹤鸣九霄，腾飞冲天，开启了"吾将上下而求索"的艺术之路。"梅党"声势浩大，人才济济，有挟金钱之势的银行家，有博社会声望的名士，有谙于剧曲的编剧，有执笔为文的剧评家，捧角形式多样，"招待共餐、观剧叫好、作文揄扬、赠予金钱、代购行头、购送衣服、送与什器、挟势谋便"，主动参与梅兰芳艺术发展，如创编新戏、海外演出等，共同加入这场轰轰烈烈的"造星"运动。

"钱口袋"冯耿光

"治金融如治军，两袖清风树典范。爱艺术若头目，一生心血为兰芳。"这副对联是在梅兰芳一生挚友、"梅党"领袖冯耿光逝世时，梅夫人福芝芳敬送的挽联，系由许姬传代书。此联语囊括冯耿光一生的主要社会经历：前半生负笈东洋，军中新贵；后半生投身银行界，一代

冯耿光

金融巨子，同时也道出冯耿光对梅兰芳的重要作用——如"头目"般不可缺少，尤其是末句"一生心血为兰芳"，更是对冯耿光与梅兰芳关系的真实写照。

冯耿光（1882—1966），字幼伟、幼薇，广东番禺人。冯耿光生于官绅之家，族内兄弟中行六，故人多称"冯六爷"。早年入福建马尾船政学堂，后以福建官费生身份留学日本，1902年毕业于日本陆军士官学校步兵科第二期。归国后历任讲武堂总办、练兵处监督、测绘学堂总办，并统带新军。1907年任军谘处第二司司长，1911年4月军谘处改名军谘府，任第二厅厅长。按清朝官职，相当于二品官阶。中华民国时期，任总统府顾问、参谋本部高级参议，领陆军中将衔，督办山东临城矿务。1918年，中国银行商股股东会正式成立，被选为董事。

因与直系军阀、总统冯国璋关系匪浅，出任中国银行总裁，跻身银行金融界。1926年，再度被推为中国银行总裁，后改任常务董事。1931年，任新华信托储蓄银行董事长。1951年，被选为公私合营银行联合董事会董事，副主任委员。冯耿光曾两度出任兼具国家银行性质的中国银行总裁，始终在行内保持董事席位，具有很大的话语权和控制权，其人脉关系与影响力辐射整个银行界，乃至对整个民国金融界都有举足轻重的作用。冯耿光纵横银海数十载，堪称金融巨子，有"华北财神"之誉。

1907年，冯耿光受满清贵胄良弼举荐，进京编练新军，得与梅兰芳相识。梅兰芳在《舞台生活四十年》中讲述了他和冯耿光之间的结识与友谊："我跟冯先生认识得最早,在我十四岁那年就遇见了他。他是一个热诚爽朗的人,尤其对我的帮助,是尽了他最大努力的。他不断地教育我、督促我、鼓励我、支持我,直到今天还是这样,可以说是四十余年如一日的。所以在我一生的事业当中,受他的影响很大,得他的帮助也最多。"是年,《顺天时报》举行"丁未菊榜"评选活动,此次评选以报端为媒介,采取公开投票方式,分色、艺、才、情四科评定"菊榜"顺序。据《顺天时报》11月20日刊出的选举结果可知,姚佩兰、罗小宝、朱幼芬、刘宝云分别是四科第一名,四科总分前五名依次是姚佩兰、罗小宝、朱幼芬、刘宝云、王慧芳。按评选结果看,梅兰芳的名字未见于四科前十名之列,可以想见,当时他还没有被人赏识。一位是仕途畅达,军中新贵;一位是声名不彰,前途未卜。恰好在梅兰芳人生命运较为惨淡、

（左起）冯耿光、梅兰芳、齐如山

无助的时候，梅兰芳与高级青年军官冯耿光相识于历史坐标轴上。在梅兰芳初登台时，冯耿光就以半月收入资助梅兰芳添置行头，包场订座，周济家用。

自 1913 年在上海唱红后，梅兰芳梨园声价与日俱增，颇受社会人士瞩目，更成为小报记者关注的焦点人物。然而，有些别有用心之人，以挖掘名伶隐私、轶事为能事，敷衍成文，张之小报，以满足社会大众好奇心。1915 年，报人穆儒丐在《国华报》连载纪实小说《梅兰芳》，小说以梅兰芳为中心人物，描述了梅兰芳早期的私寓生活和艺术生涯，直到 1919 年赴日演出为止，更用浓重笔墨描写了梅兰芳身边的捧角人物，如马幼伟（影射冯幼伟）、郭三相（影射郭通仙）、齐东野人（影射齐如山）等。该书虽托为小说家言，且未实名，然而稍知梨园轶事的人一望便知所言为冯耿光、齐如山等人。小说因梅兰芳名人效应和世人窥视隐私的心理，一经连载，立即引起强烈的社会反响。一时间，将梅兰芳置身于社会舆论的旋涡中心。冯耿光作为"梅党"领袖，岂能容忍他人在自己眼皮底下兴风作浪，立即采取雷霆手段，动用社会关系勒令报馆停刊，并出钱收购已发行的报纸，一把火烧个精光。

穆儒丐与"梅党"之间的恩怨并未就此结束，反而变本加厉地走上了反对、痛诋梅兰芳的道路。穆儒丐以1917年伶界大王选举为背景，写出《选举伶王记》，诋毁梅兰芳贿选，不遗余力地攻击梅兰芳。旧愁新恨，恩怨升级，冯耿光怒火中烧，动用所有社会关系打压，京城报馆多不敢录用穆儒丐，致使穆氏在京城几无立足之地，避走关外。穆儒丐志不可夺，终将《梅兰芳》小说续写完成，由盛京时报社出版，不想"梅党"买断了小说，并批量销毁，以致此书在市面上流传极少，只留海外孤本。

得益于冯耿光中国银行总裁身份及其在政界、银行界的地位和声望，梅兰芳有着同时代艺人无可比拟的经济优势，解决了艺术发展道路上的后顾之忧。可以说，梅兰芳的艺术革新与历次出国活动都离不开冯耿光的支持，如 1919 年、1924 年两次赴日，1930 年访美，1935年访苏，其背后都有冯耿光运筹帷幄，倾力襄助。一个剧团数十人远赴异国，所需金额之巨大超乎我们的想象，少则数万美金，多则十多万美金，无异于天文数字。在国家政策帮扶缺位和戏剧事业不受重视的 20 世

梅兰芳、冯耿光

纪二三十年代，巨额经费的筹措是最为棘手的难题，冯耿光无不是迎难而上，带头筹集，鼎力支持，确保梅兰芳海外之行得以实现。甚至有传言说，梅兰芳访美时，经费短缺，冯耿光不惜变卖房产，为梅氏实现远渡西海岸的壮举铺平道路。

由于冯耿光在金融界显赫的身份和地位，貌似更多地呈现给世人一种多金豪客的形象。其实，冯耿光对梅兰芳的影响绝不局限于经济上的帮助，他对中国戏曲艺术有许多独到的见解。如冯耿光对《宇宙锋》极为推许。在梅兰芳众多拿手剧目中，《宇宙锋》叫座能力一般，属于"叫好不叫座"，每次贴演上座成绩并不理想，然而梅兰芳并没有就此放弃，反而更加执着，悉心揣摩，依然"每期必定贴演几次"。梅兰芳自己也曾说过对《宇宙锋》的感兴趣和偏爱:"每逢演出,我的管事给我派戏码,别的戏随他们派,我都好商量,唯有《宇宙锋》是我指定了要派进去唱几回,好让我自己过过戏瘾。"那么,梅兰芳能戏众多,为什么还要反复贴演并不叫座的《宇宙锋》呢?这里面就有冯耿光对梅兰芳的艺术鼓励和殷切期许的作用。梅兰芳表示:

这里面受到了我的一位老朋友冯先生(幼伟)的鼓励,也多少有点关系。他是最称道这出戏的。认为两千年前的封建时代,要真有这样一位"富贵不能淫,威武不能屈"的女子,岂不是一个大大的奇迹吗?尽管赵女是名不见经传的人物,全本的故事,也只是"指鹿为马"有一点来历,其余都找不到考证的线索。但是这位编剧者的苦心结撰,假设了赵女这样一个女子,来反映古代

梅兰芳、冯耿光

的贵族家庭里的女性遭受残害压迫的情况，比描写一段同样事实而发生在贫苦家庭中的，那暴露的力量似乎来得更大些。所以我每次贴演《宇宙锋》，他是必定要来看的。发现我有了缺点，就指出来纠正我。别人在他面前对我这戏有什么批评，他照例是一字不易地转述给我听，好让我接受了来研究改正。

正是在冯耿光的深刻解读和启发下，梅兰芳从赵女身上感悟到了角色蕴含着无穷的、可贵的反抗力量，抓住了赵女形象中最核心的精神内涵，从而为梅兰芳《宇宙锋》的传神演绎提供了文本注脚。此外，冯耿光对角色选配、情节设计也颇有见地。

冯耿光

冯耿光不仅在经济与艺术上全力"捧梅",而且还发动身边好友,如吴震修、李释戡、黄秋岳、许伯明、舒石父、吴锡永等,大家逐渐聚集在梅兰芳的身边,引为同好,让他们各尽其用,或艺术指导,或援为臂助,或文字品题,为梅兰芳艺术发展不遗余力。在"梅党"帮扶下,梅兰芳在旦角老辈凋零、继起无人的情况下,声名鹊起,成为继谭鑫培后的第一人,声名洋溢中外,俨然成为中国戏曲艺术的标志性人物。

1924年,梅兰芳跨入而立之年,冯耿光赠送寿联,联语曰:"孤雏今凤举,神物已龙攎","龙攎"语出《文选·潘岳〈西征赋〉》"忽蛇变而龙攎,雄霸上而高骧",意指如龙腾飞上天,帝王之业兴起。寥寥十字,将梅兰芳由双亲弃养的孤儿到荣登"伶界大王"宝座的蜕变囊括其中，冯氏不仅是见证者，更是最有力之提携者，此意非冯氏不能道。"捧梅"健将张镠子赠冯耿光诗，云："磊落英多孰与同，眼中人物独推公。文章经济寻常事，扶起孤雏不世功。"末句"扶起孤雏不世功"，也是指冯耿光全力提携梅兰芳之事。

回顾梅兰芳的艺术生涯，是与"梅党"尤其是与冯耿光的社会地位起伏相契合的。1918 年至 1922 年冯耿光任职中国银行总裁时，正值梅兰芳艺术生涯的高光时期。谭鑫培故后，梅兰芳荣膺伶界大王徽号，从最具市场影响力的剧界明星一跃成为剧界坛坫，成为梨园界首屈一指的代表人物；也是在冯耿光总裁任期内，梅兰芳东渡日本献艺，迈出了由国内向海外的第一次跨越。冯耿光作为坚定的爱国人士，对梅兰芳人生道路上的重大抉择，如抗日期间蓄须明志，都有非常重要的影响。

冯耿光自与梅兰芳相识，便倾心襄助，将全部心血和精力投注在梅兰芳及其表演艺术上，且不为名利，做熠熠光环、华彩背后的点缀，仅就这份赤诚、执着与毅力，足以令后世铭记。

"智多星"吴震修

"佐冯老理金融，规划周详奠基业。视先夫如子侄，运筹帷幄智多星"，这是吴震修逝世时，许姬传代梅夫人福芝芳为吴震修所作挽联，概括了吴震修的阅历、与

吴震修

梅兰芳的关系。吴震修性格内敛低调，处事老练，是神龙见首不见尾的人物。

吴震修（1883—1966），名荣鬯，字震修，后以字行，江苏无锡人。早岁留学日本测绘学校，回国后历任京师大学堂东文教习、军谘处第四厅第二科科长、参谋本部第六局局长、内务部佥事等职。1918年，经好友冯耿光引荐，进入中国银行任天津分行副经理、中国银行总文书。1927年，应黄郛邀请，出任上海特别市市政府秘书长，曾暂代过上海特别市市长。之后，重返银行界，任中国银行南京分行经理、中国农工银行副总经理、首都国货公司董事长、中国银行常务董事，新华信托储蓄银行董事,全国经济委员会常务委员等。1951年，任中国保险股份有限公司常务董事,并被推选为总经理。1966 年病逝于上海。

自清末起,吴震修便随冯耿光关注、支持梅兰芳的艺术发展,是梅兰芳的重要支持者,更成为日后的"梅党"核心人物。吴震修曾留学日本学习测绘,思维缜密,沉稳内敛,耿直健谈,足智多谋。对此,梅兰芳弟子、秘书李斐叔曾这样评价吴震修:"(吴)震修先生是无锡人,叔雍先生是常州人,都是'梅党'健将,对于梅先生的大小事情,都狠(很)辅助的。震修先生富有狠(很)深刻的思想同锐利的眼光,尤有果断的、灵敏的手腕。梅先生每有困难的问题发生,束手无策的时候,得到他一句话,无不迎刃而解。而他说出来的一句话,如橄榄回甘,最耐人寻味,所以梅先生的一班友人,都

吴震修致梅兰芳手札

称他叫智多星。"在梅兰芳的重大决策及有关事业成败的重要关口，都有冯耿光幕后指点；然而冯耿光每遇到人生事业的重要转折时，都与吴震修商酌，听取吴氏意见。

作为一位银行家，吴震修主要从经济方面支持和援助梅兰芳的艺术活动，如 1931 年梅兰芳与余叔岩等人组织北平国剧学会，所需经费由社会热心文化事业的人筹集而来，吴震修列名理事，是主要赞助人之一。此外，梅兰芳历次出国，吴震修都尽心用力，动用社会关系多方联络，筹集经费，准备宣传材料，极力促成梅兰芳之行。

除经济帮助外，吴震修还对梅兰芳的演艺生涯添有许多重彩之笔。众所周知的便是吴震修对《霸王别姬》的修改。1921 年，梅兰芳、杨小楼合组崇林社，准备编排新戏《霸王别姬》。剧本由齐如山写成初稿，然而就在剧本即将排演之际，却发生了一个不大不小的争执。事情的始末在《舞台生活四十年》中《〈霸王别姬〉的编演》一章有详细的叙述。梅兰芳回忆道：

我们新编这出戏定名为《霸王别姬》，由齐如山写剧本初稿，是以明代沈采所编的《千金记》传奇为依据，现在我们翻开《千金记·虞探》一出的词来看看就知道来历了。《虞探》第一支曲【榴花泣】："金风飒飒，角韵动凄凉，时断续，暮云黄，乍明乍灭闪荧光，暮笳声，戍鼓残腔。"《霸王别姬》第三场虞姬出场念的"引子"——"明灭蟾光，金风里，鼓角凄凉"就是从这里来的。他另外也参考了《楚汉争》的本子。初稿拿出来时场子还是很多，分头本、二本两天演完。这已经到民国十年的冬天，我们开始准备撤"单头本子"排演了，有一天吴震修先生来了，他说："听说你和杨小楼打算合演《霸王别姬》，那太好了。"我就把头本、二本《霸王别姬》的总讲拿给他看，并说："您看了如有需要修改的地方，您告诉我们。"吴先生仔细地看了一遍后说：

梅兰芳与吴震修、姜妙香、姚玉芙等人合影

"我认为这个分头本、二本两天演还是不妥。"这时候写剧本的齐先生说:"故事很复杂,一天挤不下,现在剧本已经定稿,正在写单本分给大家。"吴先生说:"如果分两天演,怕站不住,杨、梅二位也枉费精力,我认为必须改成一天演完。"他说到这里语气非常坚决。齐先生说:"我们弄这个戏已经不少日子,现在已经完工,你早不说话,现在突然要大拆大改,我没有那么大本事。"说到这里就把头本、二本两个本子往吴先生面前一扔,说:"你要改,就请你自己改。"吴先生笑着说:"我没写过戏,来试试看,给我两天工夫,我在家琢磨琢磨,后天一准交卷。"

当时我感到吴先生的主张很有道理,因为《楚汉争》就是分两天演失败了。《霸王别姬》的初稿,仍有

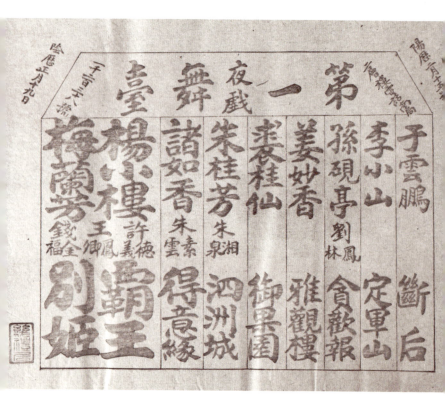

《霸王别姬》戏单

松散的毛病，改成一天演，的确是高明的见解，但我又担心吴先生改本子没有把握。

两天后，吴先生拿了本子来，他对齐先生说："我已经勾掉不少场子，这些场子，我认为对剧情的重要关子还没有什么影响，但我终究是外行，衔接润色还需大家帮忙。我这样做固然为听戏的、演戏的着想，同时也为你这个写本子的人打算，如果戏演出来不好，岂不是'可怜无益费工夫'吗。"齐先生听他这样说，也就不再坚持成见，而是和大家共同研究润色，继续加工。

从梅兰芳的回忆中，可见吴、齐二人对《霸王别姬》剧本的修改产生了较大分歧：吴氏认为分两天演，剧情拖沓，无法吸引观众；齐氏则坚持剧情复杂，一天容纳

（前排左起）齐如山、李释戡、吴震修、舒石父
（后排左起）李斐叔、梅兰芳、许伯明

不下，竟致将剧本"往吴先生面前一扔"，让其自行修改，仔细品味，颇有"反将一军"、看你如何应付的意味。或者更直白地说，在齐如山眼中，始终认为吴震修作为外行，"站着说话不腰疼"，不晓得编剧的难处，才摆出一副"你有本事，你来"的架势。夹在吴、齐二人中间的梅兰芳，内心是认可吴震修的主张的，认为初稿确实存在场子松散的弊病，吴震修改演一天的建议，是"高明的见解"。吴震修将场次由初稿二十多场删减成不满二十场，勾掉与剧情无关的废场子，削减枝蔓，精简压缩，使得剧情更加紧凑，充满戏剧张力，确保演出能够一天演完。可以说，吴震修对《霸王别姬》剧本的删改，提高了舞台演出的成功率，在一定程度上避免重蹈杨小楼、尚小云《楚汉争》分两天演完而失败的前车之鉴。

此外，《一缕麻》关目编排和《牢狱鸳鸯》题材选择，也能说明吴震修的编剧才华和眼光，剧作以当时不合理的婚姻制度和黑暗官场为题材，具有很强的现实意义，演出后社会反响强烈。

"侍从武官长"许伯明

许葆英（1877—1957），字伯明，浙江海宁人。早年就读于南京金陵同文馆，1898 年与陈其采作为浙江官费留学生赴日学习军事，入日本陆军士官学校第一期炮兵科，1902 年归国后，历任江南武备学堂教习、江南陆军小学堂总办、江宁督练公所教练处总办等职。1911 年参与上海光复起义，任沪军都督府顾问官、军务部长、军政司长。1912 年，授陆军少将衔，后调任

许伯明

总统府军事谘议。1918年经冯耿光引荐进入中国银行，历任中国银行保定分行经理，江苏省财政厅厅长，中央银行昆明分行经理，江苏省银行总经理。1956年5月被聘为上海市文史馆馆员，1957年在上海病殁。

许伯明在1912年便加入"捧梅"集团，其"捧梅"活动更是为人所熟知。某年，梅兰芳赴上海演出，身为总统府顾问的许伯明特向总统府告假一月，随侍梅兰芳左右，极尽"党员"义务。印坛名宿陈巨来回忆，"梅在北京本有三名人捧之：一为冯耿光，二为李释戡，三为许伯明，人称梅党三巨头。"梅兰芳1913年首次赴沪时，许伯明为梅兰芳参谋大轴剧目，改正演出弊病，贡献自己的智识。1919年，许伯明作为剧团顾问，随梅兰芳赴日演出，此次系日本大仓男爵邀请，并未像日后

许伯明

访美、访苏时做了十分细致的筹备工作，只是"（许）伯明到东京后方有一些筹备，故伯明当时甚为焦急"，期间前后奔走，动用在日留学时期的社会关系，承担联络、应酬工作。许伯明还介绍堂弟许姬传、许源来与梅兰芳结识，20世纪30年代后，许氏昆仲成为梅兰芳的重要助手。尤其是许姬传，作为梅兰芳贴身秘书和梅剧团编剧，与梅兰芳朝夕相处，负责撰写剧本、稿件和回忆录等，为弘扬梅兰芳与梅派艺术付出大量心血；此外，在梅兰芳创排古装新戏时，从全剧结构、协律润词和古装设计、用色等方面为梅兰芳提供帮助。

许伯明与梅兰芳相识四十多年，有着深厚的情谊，也发生了许多有趣的故事。在梅派古装戏《千金一笑》正式演出的前一天，梅兰芳因为第二天剧中需要一件重

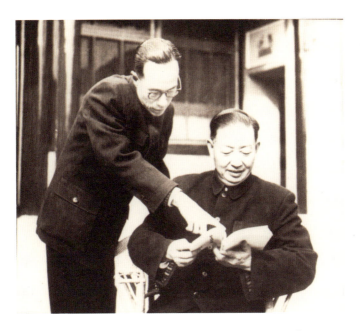

梅兰芳与秘书许姬传探讨戏剧问题

梅兰芳在沪第一次演《晴雯撕扇》时舞台上用的扇子撕毁后，重新裱成手卷并请名人题跋。这是装裱后的扇面

要道具——纸扇，便找出一空白扇面，感觉两面空白太素，便提笔画了一朵牡丹，恰好剧中饰演袭人的姚玉芙在旁边，就让他在背面题了一首诗，可惜匆忙间姚玉芙将时间写错了一年。老朋友们饶有趣味地说："这出戏一共只有三个剧中人，现在晴雯和袭人都留下了作品，这款该等宝玉来题，那才有意思呢。"不久，扮演宝玉的姜妙香走了进来，便由姜题款。翌日，演完后，那把被晴雯撕破的扇子却不见踪迹了，许伯明在旁边说："真奇怪了，一把破扇子谁会来偷呢？这又不是什么古董。"此事也就没有下文了。

数日后，许伯明来到缀玉轩，随身携带一个手卷，众人疑惑不知为何物，许伯明得意地说："这件古画在中国是找不出对儿的"，"这里面有三个人的作品，是

《红楼梦》上的'晴雯'画的,'袭人'写的,还请'宝玉'题的款呢,你想世界上会有第二件吗?"众人定睛一看,正是那把不见了的破扇,此时已拆开两面,被裱成手卷,且还有许多名人如姚茫父、陈师曾等人的诗词题跋。1920 年,《申报·梅讯》还曾记载此事:"畹华初演《晴雯撕扇》时,其扇系妙香绘,而畹华书者,弥足珍贵。今为缀玉轩阁员得去,裱成手卷,已有多人题记。今并拟寄海上,求名流为之增题云。"其实,许伯明早就盯上那把扇子了,趁人不备之时,偷偷地揣在身上,当梅兰芳询问扇子下落时,许伯明还上演了一出"贼喊捉贼"的好戏码,实在是一段有趣的插曲。此扇既是《千金一笑》正式出演的特殊纪念品,更是许伯明与梅兰芳之间情谊的见证。

（左起）梅兰芳、姚玉芙、许伯明

"乳母"舒石父

舒石父（1885—1949），名厚德，字石父，后以字行，浙江慈溪人。舒石父的父亲舒高第，早年留学美国，是著名的科技翻译家，曾任江南机器制造局技师、医师，后在上海广方言馆教授理化和英语。舒石父结束家塾学习后，进入上海广方言馆读书，品学兼优。1898 年 11 月，舒石父和陈其采、吴锡永、许葆英四人以浙江官费留学生身份负笈东洋，拉开中国派遣学生留日学习军事的序幕。舒石父在日本成城学校预科肄业后，进入日本陆军士官学校第一期步兵科，1901 年 11 月入日本近卫步兵第四联队做见习士官。1902 年 3 月毕业回国后，被委任福建武备学堂总管课（教务长）、常备军管带等职。1911 年 11 月，响应武昌起义，参与陈其美领导的

父石舒

上海光复起义，任旅长，身先士卒。1912 年因军功被授予陆军少将衔，受袁世凯势力排挤，任总统府军事谘议、北平陆军大学教官等文官虚职，变相赋闲。1918 年，因好友冯耿光举荐，进入中国银行。1920 年起，历任中国银行山西分行及福州分行行长。1928 年任国民政府参军处参军，后兼任参军处总务局长。1931 年 12 月接替许伯明出任江苏省政府委员兼财政厅厅长。去职后，舒石父重返银行界，任中央银行厦门分行及福州分行经理。1949 年 2 月，舒石父调任中央银行总行，以设计委员会一等专员身份荣休。不料，仅一个月后，突因急性心肌梗死在福州逝世。

当年，舒石父调任北京后，旋被解除实权，为排遣政治上的失意和闲居愁闷，加入"捧梅团"，帮助梅兰芳的艺术发展。在梅兰芳初成名时,"梅党"想从经济上进行帮助,当时"捧角"是非常讲究的,"角儿"都爱面子,不能直接赠送金钱,于是他们便决定在演出后出资购买戏箱,这样既尽了成员帮扶的心意,又不伤梅兰芳的自尊。舒家就藏有四个描金的大戏箱,便是舒石父当年"捧梅"的见证,也成为舒家珍藏的纪念品,可惜历经洗劫,后仅存一只。

舒石父具有西方血统,身材魁梧,仪表不凡,出身行伍,带兵打过仗,却在生活中展现出独特的一面。他爱好手工制作,对服装制作、设计非常熟练。在孩子将出生时,特意请假做起了针线活,亲自用缝纫机缝制了一件件衣服,作为送给孩子的礼物。梅兰芳在《舞台生活四十年》中,谈及《嫦娥奔月》服装创制时说:"这一部分服装的设计，舒石父先生、许伯明先生都很在行地帮助了我。"梅兰芳特意用"很在行"三字指出了舒石父与许伯明的作用，他们对梅兰芳早期的舞台改良实践，尤其是戏曲服饰革新，起到了推动作用。舒石父不仅自己参与梅兰芳舞台形象的塑造和演出服装的设计，连他家人也都是梅迷，甚至他妻子还"帮着梅先生制作新戏的服装道具"。

梅兰芳自幼痛失双亲，父母之爱的缺失始终是他心中的一大遗憾。"梅党"诸人与梅兰芳亦师亦友，不但关注梅兰芳的舞台艺术发展，还督促梅兰芳学习，提升文化修养，照料日常生活。尤其舒石父对梅兰芳更是呵护备至，在"梅党"中扮演着照料梅兰芳的"乳母"角色。"舒先生（即舒石父）现任国府参军，他也是提携

（前排左起）姜妙香、姚玉芙、梅兰芳、齐如山
（后排右起）许伯明、李释戡、舒石父

梅先生最早的一人，对于梅先生读书习艺，监督极严，小而以致饮食起居，衣服寒袄，都非常关心，一若慈母之于爱子，在梅先生的一班友好中，于是都称他为'乳母'，直到今天，梅先生谈及往事，犹多反哺之思。""若慈母之于爱子"，可以想见舒石父对梅兰芳的倾心照料和无私关爱。1919年梅兰芳首次赴日公演时，舒石父原计划随行，后因父亲病逝而未果。

舒石父之子舒昌格，艺名舒适，著名演员、导演，因饰演《红日》中的张灵甫而家喻户晓。舒适深得父亲疼爱，经常追随父亲身边，进戏园看京剧，出入梅宅，耳濡目染下模仿梅兰芳的唱念、身段，竟有模有样。舒适13岁时，小学刚毕业，舒石父打算让他去北京拜梅兰芳为师学习京剧，后因妻子反对，未能如愿。后来，

（左起）梅兰芳、冯耿光、舒石父、李释戡

舒适走上艺术道路，与梅兰芳的影响不无关系。梅兰芳在避居香港时，舒石父邀请梅兰芳观看舒适参演的《新地狱》，梅兰芳观看后叮嘱舒适，以后"这种胡闹戏不要拍"。1949 年舒石父病逝的噩耗传来，梅兰芳悲痛不已，特地赶到舒家表示慰问。

此外，舒石父堂侄舒昌玉从小喜欢京剧，进票房，学旦角戏，后下海从艺。1951 年，舒昌玉通过梅兰芳的化妆师顾宝森引荐，拜梅兰芳为师，唱了一段《凤还巢》，"梅先生听完以后，问了问我的家世，问我舒石父是你的什么人。我说，是我的大伯。他是捧梅先生的，跟梅先生很近。过两天顾师父告诉我，梅先生同意收你了"，自此舒昌玉正式成为梅门弟子。透过两人的简短问话，或许里面包含着梅兰芳对舒石父的无限缅怀和反哺之意吧。

"戏口袋"齐如山

齐如山（1877—1962），字宗康，河北高阳人。曾任京师大学堂、北京女子文理学院教授。著名戏曲理论家、编剧家，著有《说戏》《戏班》《京剧之变迁》《中国剧之组织》《梅兰芳艺术一斑》等戏曲著作和民俗学著作。

齐如山出身诗书之家，乃当地望族，家境殷实，父亲齐令辰是翁同龢的学生，曾做过大学士李鸿藻的西席，是李石曾的老师。齐如山18岁在父亲的安排下进入京

齐如山

师同文馆，学习德文、法文。1908 年至 1912 年，因家族生意关系，曾三次赴法、德、英等国游历，虽未实现留学欧洲的夙愿，期间也切身体会了欧洲先进的文化，并观摩了大量的欧洲戏剧。回溯当时中国的社会情形，有机会能够在异域观摩大量外国戏剧演出的人十分有限，对于齐如山而言，这难得的海外艺术体验之旅，对其以后的京剧创作、研究及世界戏剧观念与格局的开创具有重要影响。此外，齐如山的家乡高阳是北方昆曲的祖庭，加之祖辈、父辈都雅好昆曲，富于藏曲，可以说他自幼生长在浓厚的剧曲氛围中。齐如山独特的人生经历，使他得以打通中国传统戏曲与西方戏剧的隔阂，融中西戏剧理论于一身。

（左起）齐如山、梅兰芳、姚玉芙

　　齐梅二人的交往，总是绕不过《汾河湾》这出耳熟能详的老戏。这出戏的剧情、关子对顾曲周郎来说，是了然于胸的，唯在唱念上见功夫。一次偶然机会，齐如山被人邀去看戏，舞台上正演着梅兰芳的《汾河湾》。齐如山评价梅兰芳演得很好，符合美的原则，扮相好、身段好，美中不足的是"窑门"一场，阔别十八年的丈夫出现在门外，唱一大段腔，诉说夫妻分离的情况，妻子竟无动于衷，窑内呆坐，齐如山认为这样的演法不符合人情戏理，违反戏剧原则。当然，这不能怪罪于梅兰芳，梅兰芳从师傅那里依样学来、演来，同时代演员也是相同的演法。梅兰芳按照传统演法，将舞台让位于有大段唱腔的生角，此时无唱无做的旦角退居一侧，这样的舞台处理方式并无不妥，可谓中规中矩。在演者与观者看来，都是合乎情理的。

偏偏在有多年欧洲观剧经验的齐如山眼中，这就是"鸡蛋中的骨头"了，用他自己的话说"可以算是一个很大的毛病了"。于是，他一时冲动写了封长达三千字的信，分析了戏剧情境规定中柳迎春的内心感情变化及与之相对的表情、身段的处理方式。估计连齐如山自己都不会想到，这封贸然寄出的信不仅为当时最受欢迎的梅兰芳所接收，更得到了他来自舞台上的回应。隔一段时间后，齐如山再去看《汾河湾》时，发现正在舞台上的梅兰芳竟然按照他信中所写增添了表情、身段，台下观众叫好声不绝于耳。这一改变令齐如山惊讶不已，既有感于梅兰芳的谦逊与纳谏，又从心中对这位年轻的旦角演员多了一份赞叹与期许。

（左起）梅兰芳、齐如山、罗瘿公

这封信就像掷进水中的石子，荡起了一层层涟漪，引起了一系列的转变，甚至一定程度上改变了他和梅兰芳的一生。经过百余封信的艺术交流后，直到1914年，艺术上的契合引导着二人正式晤面。梅兰芳经与"缀玉轩的老友如冯幼伟、许伯明、舒石父等"认真商议后，才决定接纳齐如山，从此齐如山得以出入缀玉轩，开启了长达数十年的佐梅生涯。

从1915年到1928年，齐如山作为梅兰芳的专职编剧，主要负责草拟提纲、撰写初稿、场次穿插、冷热调剂，参与创编了《牢狱鸳鸯》《一缕麻》《嫦娥奔月》《黛玉葬花》《天女散花》《霸王别姬》《太真外传》等时装新戏和古装歌舞戏，为梅兰芳的艺术成长和梅派舞台艺术风格的确立作出了重要贡献。1930年1月，经过数年

梅兰芳、齐如山

（右起）齐如山、梅兰芳在纽约与美国华侨潘光回

准备，齐如山随梅剧团赴美考察，为梅兰芳访美与京剧海外传播竭尽心力、建言献策。尤其在访美前的事务筹备上，为使异域观众能够了解、欣赏中国戏，齐如山通盘考虑了各种问题，如宜用哪种方式出国？宜用什么样的角色？宜先往哪一国？宜演何种戏？应该怎样演？舞台如何布置？怎样宣传？等等。为了更好地宣传中国戏剧文化，齐如山编写了详细介绍京剧和梅兰芳的《中国剧之组织》，配有插图，并译成英文，向美国观众介绍中国戏剧知识。该书内容丰富、翔实,载有行头谱、脸谱、乐器谱、戏装宫镫、舞台图谱、中英文说明书等。归国后，他又很快撰写《梅兰芳游美记》一书，及时、详细地记录了梅兰芳访美之行，为梅兰芳及中国戏曲的海外传播与研究留下了珍贵的第一手史料。在伶人社会地位低下、饱受非议的背景下，齐如山能够摒弃世俗眼光和成见，慧眼识俊才，运用歌舞合一、诗意化的表演美学原则，编排古装歌舞戏，辅助梅兰芳走出国门，卓见不凡。

　　齐梅二人结识，进而走进梅兰芳的世界，与"梅党"同人一起辅助梅兰芳改良戏曲，开启了属于梅兰芳的时代。纵观齐如山一生事迹，其最大功绩不在成就了梅兰芳，而在系统、科学地整理京剧。只不过在齐如山整个京剧现代化和京剧学研究的过程中，齐梅二人合作在齐如山一生轨迹中太过受人瞩目，或多或少遮蔽了齐如山在京剧学方面的贡献罢了。况且，齐如山对京剧文献的钩沉辑佚，对民俗风物的收集记录，也代表了一种全新的戏剧研究路线。

齐如山

　　正如齐如山所说，他通过与梅兰芳的合作来实现自己改良旧剧的夙愿，因此齐如山与梅兰芳是相互尊重、平等互助的合作关系，彼此倚重，互为师友。齐梅关系更被看作文人与艺人结合的最佳范例，跨越百年时空，直到今天依然为人所津津乐道。在讨论齐梅关系时，不能厚梅而薄齐，也不能厚齐而薄梅，任何浅薄、草率的论断，都是对历史的不负责任，应该结合时代背景加以综合考量。那些夸大言辞、与史不符的"没有齐如山，就没有梅兰芳"之类言论可以消歇了。此外，齐如山虽有掠美之嫌，但坦言之，齐梅二人交往更似君子之交，不求金钱回报，不掺杂情色感情，齐如山看重梅兰芳谦逊笃实的品性，更看重"天赋太厚"的梅兰芳身上所承载的中国传统戏曲艺术精髓。"与君子交，恰恰如也"，即是齐梅二人的最好注脚。

"幕僚长"李释戡

李释戡（1888—1961），字宣倜，号释戡、释堪、散释、阿迦居士，晚号苏堂、蔬畦，福建闽侯人。李释戡出身盐商富庶之家，浸润儒家教化，工诗善书，与当时的名流颇多诗词唱和。李释戡早年毕业于福州英华书院，后负笈日本，1906年12月进入日本陆军士官学校第四期步兵科。归国后，奖授举人，授副军校，旋派为陆军部保定陆军速成学堂兵学教官。1910年春，任军谘处第二厅第一科科员，后兼署第四厅第二科科长。民国后，授陆军少将，历任财政部秘书、帮办，国府参军、行政院秘书。抗日战争后，附逆汪伪政权，出任伪职，于民族气节有亏，令人扼腕叹息。

李释戡

李释戡与冯耿光、许伯明有北方"梅党三巨头"之称，居于"梅党"核心位置，拥有一定的话语权，并参与决策。对于李释戡的职位，1920年4月23日的《申报》写得很清楚，"李十三素为畹华御前大臣，并为畹华之秘书长"。后人进一步阐发说："李释戡在缀玉轩中的地位，如说是军机处，则李便是领班；如说是参赞密议，则李便是梅兰芳的文案班头幕僚长。"

自与梅兰芳相识后，李释戡便积极地参与梅兰芳的艺术创作。

他文笔不凡，熟悉梅兰芳的家世及艺事，常在报章撰文揄扬，如在1923年作《梅兰芳小传》，首次将梅兰芳表演艺术归纳为"梅派"。他古典诗文功力湛深，熟

（左起）舒石父、梅兰芳、李释戡、冯耿光

稔词章典故。他发挥所长，在"梅党"中主要负责为梅氏新戏写曲词，协音律，润词采。李释戡尤擅编剧，如梅兰芳第一出古装新戏《嫦娥奔月》的题材创意即来自李释戡，"《嫦娥奔月》为畹华古装戏之鼻祖。先是七月中，李释戡辈与人夜行玩月，谈及畹华。李云，曷不排一应时古装之剧，使之出演耶？次日征其同意，遂为规划。自宾白唱词至于衣饰场子，一一斟酌尽善。使排之再四，改之再四，至于八月遂贴报出演。都人士以为此得未曾有之剧，一时园座为之拥挤。盖自皮黄盛行百余年来，旦角之改装易服，此其嚆矢。另辟蹊径，以轰动一时。"确定主题后，由齐如山草拟提纲，"第二天齐先生已经草草打出一个很简单的提纲，由李先生担任编写剧本。大家再细细地把它斟酌修改"。

李释戡擅填词谱曲，致力于曲词宾白与音韵节奏，充分借鉴昆曲传奇的曲牌唱段，将其嵌入新剧中。《天女散花》一剧杂采皮黄和昆曲，为了充分展示梅兰芳歌舞身段的优长，在第六场《散花》里便借用【赏花时】和【风吹荷叶煞】两支昆曲曲牌，由李释戡与碧栖词人王又点共同填词。两支曲子细腻婉转，悠扬流丽，为全剧中歌舞最繁重的部分，而其"天上龙华会罢，参遍世尊，走遍大千，俺也忙煞，借得个居士室放根芽，抵得个祇园布地黄金价，锦排场本是假……任凭我三昧罢，游戏毗耶"的曲辞恰与空灵飘逸的"梅舞"交相辉映，实现了对禅宗教义的完美演绎。此剧角色齐整，歌舞并重，辅之以首次在京剧舞台使用追光，一经露演，轰动京师。罗瘿公在观看《天女散花》后，作有《观梅郎天女散花剧》，中有"是谁幻遣作天女，小李将军心力聚。

梅兰芳、李释戡

李释戡、梅兰芳

闽县李释戡少将制此剧，费半年之力。自言一剧压千场，奔月葬花安足数。奔月葬花两剧亦释戡所制"，诗句盛赞李释戡制曲之能，"一剧压千场"绝非溢美之词。李释戡作《自题天女散花杂剧》诗，云："偶谱新声付教坊，敢云一剧压千场。罗瘿公题诗云云。半生牢落成何事，可是当年李八郎。"自况为盛唐善歌者李衮，亦见裁曲之精能。方地山《李将军诗》言："李氏传奇字字香，将军辛苦为花忙。何当下笔开生面，别谱新声配梅郎。"

同时，李释戡还是梅兰芳的诗词老师，教授梅兰芳作古文诗词。李释戡诗词根底深厚，知晓词曲与古诗文之演进规律及诗文对于剧作及其表演者的推动作用。李释戡劝勉梅兰芳，"为艺不可不读诗，戏中若多诗美，则戏能美，人亦自美"，激励、引导梅兰芳多汲取古典

梅兰芳、李释戡

诗歌中的艺术养分。他在为梅兰芳编写剧曲的同时，更明确建议梅兰芳通过多读诗甚至作诗接通传统文脉，促进梅兰芳对于古典戏曲的理解，提升梅兰芳的舞台呈现水平。就连扬名海外的梅兰芳书斋"缀玉轩"，也是由李释戡取姜白石词"苔枝缀玉"之意而名之。李释戡自述："兰芳好学，孟晋六法尤工。余颜其室曰'缀玉轩'，校词谭艺，日集俊厨，海内投赠之作，多如束笋。"令人惊奇的是，李释戡亦取姜白石词，自名其斋为"唤玉簃"。一为"缀玉轩"，一为"唤玉簃"，从二人书斋名亦可见李释戡与梅兰芳的关系匪浅。

某年，梅兰芳初搭班演出，忽患白喉甚剧，但仍坚持带病演出。李释戡见之，急忙赶到梅家，质问兰芳伯母："他都病得这么厉害了，干吗还让他登台演出，这不是

梅兰芳、李释戡

罗瘿公题《缀玉轩》

要孩子的命吗?"伯母无奈地说道:"三爷,您有所不知,我们全家都靠这孩子每天戏份来养活,他一天不唱,家里就揭不开锅,我实在是没办法啊!"李释戡当即表示,立即延医治病,兰芳治病期间一切费用及梅家开销用度皆由他负担。在当时医疗条件低下,且缺乏抗生素的情况下,染上白喉极为凶险,致死率高,如得不到及时治疗,会危及生命。对初出茅庐的梅兰芳而言,不仅关乎梅兰芳的艺术生涯,更是性命攸关的事情,李释戡实为梅兰芳的救命恩人。

（左二）梅兰芳、（右一）李释戡

时光轮转，命运沉浮，人生的际遇总是令人捉摸不透，更何况是在乱世之中。抗日战争期间，梅兰芳息影舞台，蓄须明志，李释戡却附逆汪伪，甘为犬牙。1945年抗日战争胜利后，二人的地位发生了颠覆性转变，梅兰芳声誉日隆，国人拥戴，李释戡身负汉奸骂名，晚境凄凉，孑居沪上。梅兰芳顾念数十年情谊，每月资助两百元用度，并让言慧珠、李玉茹等梅门女弟子时常探望，以慰孤苦。1961年6月，李释戡弥留之际，梅兰芳在床前告慰："三爷，你放心，身后之事，我一人当之了。"至李故后，梅兰芳悲痛不已，信守诺言，自殡至葬，一切开销均由梅兰芳任之。不意，仅逾两月，梅兰芳竟溘然长逝。陈巨来晚年回忆录中不无感叹地说："苟梅先死二月，则李尸臭矣。"

李、梅二人用五十年的相互扶持，谱就了一段以人情始、以人情终的亦师亦友关系。

"健将"张彭春

张彭春（1892—1957），字仲述，天津人，著名教育家、外交家，现代戏剧奠基人之一。张彭春是著名教育家张伯苓之胞弟，1904 年，进入张伯苓、严修创建的天津敬业中学堂（南开中学前身）。1910 年考取清华大学第二届庚款留学生，与胡适、竺可桢、赵元任等一同进入克拉克大学，获学士学位；后转哥伦比亚大学研究院学习教育和哲学，取得硕士学位。留美期间，除主修专业外，他的主要兴趣在西方戏剧上，尤其对莎士比亚、易卜生的戏剧感兴趣。1916 年归国后，任南开中学专门部主任，并被推举为南开新剧团副团长，主持南开中学的话剧活动。在此期间，张彭春引入西方戏剧理念，实行戏剧革新。他凭借深厚的西方戏剧理论功底、

写实主义的创作风格和先进的导演手法，使得南开校园
新剧运动在中国现代话剧史上留下了壮丽的篇章，对北
方话剧运动乃至整个中国话剧的发展起到了极大的推动
作用。1917 年 8 月至 1918 年年底，张彭春在张伯苓赴
美考察教育期间代理南开校长一职；1919 年，张彭春赴
美继续深造，师从杜威博士，获哥伦比亚大学哲学博士。
1923 年 9 月，张彭春任清华大学教务长，对清华教育
管理体制进行切实改革；1926 年春，受人排挤，由清华
重返南开大学，任教育学教授。张彭春在指导学生排练
话剧时，坚持严肃、民主的导演风格，培养了许多戏剧
人才，其中以曹禺最为著名。曹禺说："他（指张彭春）
是第一个启发我接近戏剧的人。"后来，张彭春受国民
政府委任，任土耳其、智利全权公使，致力于中国教育
发展与外交事业。1948 年，张彭春出任联合国人权委

梅兰芳、张彭春

员会副主席，是《世界人权宣言》的起草者之一，为世界人权体系的构建作出重要贡献。1957 年 7 月，因心脏病发作，病逝于美国新泽西州。

　　诚然，张彭春并非戏剧专业出身，但他留学美国多年，对中西戏剧有精深研究，同时对欧美文艺、风土人情更是了然于心。1930 年，梅兰芳应华美协进会之邀，远赴大洋彼岸，向彼邦人士介绍中国戏曲，同时考察西方舞台艺术，以期将来成为改革中国旧剧之臂助。2 月 14 日，梅兰芳在华盛顿中国驻美使馆首演《千金一笑》时，台下观众反应平淡。正好在美国讲学的张彭春受邀观看了演出，并到后台表示慰问。梅兰芳便问张彭春："今天的戏，美国人看懂了吗？"张彭春坦言道："不懂，他们没有端午节，更弄不懂晴雯为什么要撕扇子。"

梅兰芳深知巨大的中西方文化差异是一道难以逾越的鸿沟，必须有谙熟中西戏剧文化的通才方能弥补，而张彭春恰好是不二人选，他不仅对中国戏剧有很高的造诣，而且十分熟稔西方的戏剧理论和艺术实践，于是，梅兰芳诚邀他出任梅剧团的总导演兼对外发言人，总理一切事务，张彭春慨然允诺。值得注意的是，这是梅剧团首次建立明确的导演制，还是由一位懂得戏曲的话剧导演来担任总导演。

张彭春认为，外国人希望通过京剧艺术了解中国，进而认识中国，因此，必须选择他们易于理解而又蕴含中国传统故事的剧目；由于语言不通，在剧目方面选择侧重做工、表情等的剧目，减少唱、念。为迎合、迁就西方观众的观赏习惯和审美心理，梅兰芳临时调整演出

（左起）张彭春、梅兰芳、李斐叔

张彭春（左）、梅兰芳（右）与美国影星（中）

剧目，将擅长的舞蹈，如剑舞、羽舞和杯盘舞，单演一场。每次演出开幕前，张彭春身着燕尾服率先登台，用纯正、流利的英语说明中国戏剧的组织、特点、风格以及动作所代表的意义。然后，由翻译杨秀女士用英语作剧情介绍。最后，才请梅兰芳隆重登台出演。虑及美国人的时间观念较强，张彭春严格控制各个程序的时间，整台演出以两小时为准。为了做到这点，张彭春做了许多大胆的革新尝试：废除检场陋习，净化舞台环境，减少检场对演出的干扰和观众注意力的转移；采取策略性的取舍、剪裁，删削剧本枝蔓，减少交代性场次。如减少《贵妃醉酒》一剧中的进酒、调情次数，使演出时间由原来的45分钟减为25分钟。

张彭春

在张彭春战略性的指导下,梅剧团的演出俘获了美国观众的心,鼓掌至十余次之多,各界舆论好评如潮。张彭春的强力加盟是梅兰芳访美取得成功的众多因素中至关重要的一环,甚至具有决定性的意义。梅兰芳不无感激地说:"我往年在美国,承蒙张彭春先生担任此项职务,对内对外无不措置裕如,我能在艺术方面有那样圆满的收获,是和张先生的辛劳分不开的。"

1935年2月,梅兰芳应苏联对外文化关系协会邀请,赴苏联演出。此次系苏联政府敦请,事关国体,苏联为表隆重,特成立了"招待梅兰芳委员会",成员多是苏联文艺界知名人士和外交界官员,包括阿洛舍夫、斯坦尼斯拉夫斯基、梅耶荷德、丹钦科等在内,规格之高,可以想见。鉴于访美演出的成功,梅兰芳在决定访苏人

张彭春、梅兰芳

员时，力邀曾在访美时担任总导演的张彭春先生加盟，再次担任访苏的"总指导"。无奈此时，张彭春同时担任南开中学校长和南开大学教育系教授，教务烦冗，分身乏术；后由外交部函聘张彭春赴苏联考察文化事业，南开大学特允假两月，始得成行。不过，张彭春因时间关系无法全程陪同梅兰芳访苏演出和欧洲考察，于是梅兰芳又通过胡适先生，邀请戏剧理论家余上沅先生担任访苏演出的"副总指导"。在苏联演出结束后，便由余上沅陪同梅兰芳游历欧洲各国。期间，张彭春负责总理一切事务，布置训练，陪同梅兰芳观摩苏联舞台艺术，演讲会客，答访苏联艺术家并展开交流、座谈。此次访苏之行，苏联各界对梅兰芳及剧团的到来表现出极大热忱，对梅兰芳所展现的精湛技艺深表钦佩，并对中国戏曲的象征性表演予以高度评价。

梅兰芳美国、苏联之行的成功，使得一向被西方鄙视的中国戏曲跻身世界戏剧之林，得到西方主流社会的认可，并与之展开平等对话与深入交流，对后来世界演剧体系的构建产生了深远影响。梅兰芳访美、访苏的成功，印证了张彭春所言——"东方戏剧和西方戏剧只要相遇，非但不会相互排斥，必然是从相遇、相知乃至相辅相成"。

"秘书"黄秋岳

黄秋岳（1890—1937），名濬，号哲维，室名"花随人圣庵""聆风簃"，福建侯官人，近代"同光体"闽派诗人代表人物之一，著有《聆风簃诗》《花随人圣庵摭忆》及《补编》等。黄秋岳出身书香门第，祖辈父辈

张彭春、梅兰芳

（左起）傅芸子、齐如山、傅惜华、梅兰芳、梅葆琪、黄秋岳

皆有功名在身，父亲黄彦鸿曾为翰林院编修。黄秋岳自幼随外祖父读书，四岁识字，七岁能诗，九岁便可悬腕作擘窠大字，有神童之誉。十五岁时来到北京，就读于京师译学馆学习法语。因其年少聪颖，工诗善书，深受在京的陈宝琛、陈衍、严复、林纾等福建同乡父执的赞赏。1909年黄秋岳自京师大学堂毕业后，授七品章京衔，任职邮传部。其后，以才名为政治巨擘梁启超所重，并与诗坛耆宿樊增祥、易实甫、罗瘿公等诗文酬唱，与相往还者多为一时俊彦。北洋政府统治时期，黄秋岳先后任财政部佥事、总统府秘书、国务院参议等职；期间，兼任《亚细亚报》《公言报》记者，主持文苑专栏。1928年北洋军阀覆灭后，黄秋岳蛰居京华，一度出任《新申报》总理兼主笔、《京报》总编辑。1932年，其经闽籍同乡、国民政府主席林森举荐，出任国民政府行政院秘书。1937 年 8 月，黄秋岳及其子黄晟因汉奸罪被处以极刑。

黄秋岳工诗善文,在民国诗坛声望很高,汪国垣《近代诗坛点将录》有言:"秋岳诗工甚深,天才学力,皆能相辅而出,有杜韩之骨干,兼苏黄之诙诡,其沉着隐秀之作,一时名辈,无以易之。"黄秋岳一副名士做派,当时登门求他代笔撰文的人络绎不绝,据称他为人代写一篇寿文要五百大洋,足够中等小康之家一年的生活用度。从他价格不菲的润笔费,亦可见黄秋岳的才华和声名了。

自民国初年梅兰芳头角初露开始，至 1937 年黄秋岳案东窗事发，黄秋岳作为"梅党"成员，始终与梅兰

（左起）李释戡、黄秋岳、赵叔雍、梅兰芳、齐如山、罗复堪

芳保持着密切的联系。黄秋岳到北京不久，凭借诗文才华很快就融入了京城文化圈子，不免出入戏园。不过，黄秋岳素不喜观剧，又最怕热。某年，正值盛夏，天气炎热，一日梅兰芳贴演《雁门关》，已四个月没进戏园子的黄秋岳不畏酷暑，前往闷热、污浊的戏园观剧，并作剧评，可见他对梅兰芳色艺的痴迷程度。1919 年梅兰芳赴日演剧，黄秋岳设宴为梅兰芳饯行，并作诗《为畹华饯别后再赋二律题缀玉轩话别图》。

除撰写剧评和诗文题赠外，黄秋岳在梅兰芳艺术成长过程中倾注了大量心力。以诗文著称的黄秋岳，其职司以文案工作为主，如编写剧本、润色辞章、分解剧情、书牍文案等。有人称黄秋岳为梅兰芳的"秘书"，当然黄秋岳并不是真正的梅兰芳秘书，不过却时常草拟文字、稿件，实在地履行着秘书的工作职责。梅兰芳、杨小楼合作的《霸王别姬》，成一代绝唱。黄秋岳将楚汉相争这段历史掰开揉碎，讲解透彻，将虞姬所处的情境细致剖析，让梅兰芳能够走进虞姬的内心世界，在舞台上将虞姬演绎得出神入化。此外，在编排四本《太真外传》过程中，黄秋岳出力尤多，甚至还为此劳累致疾。

1930年梅兰芳访美前，黄秋岳积极参与国内筹备事宜，大到赴美宣传材料的编译，小到舞台楹联的撰写，事无巨细，可谓尽心竭力。虽未随行出国，却时刻关注梅兰芳在美情况，并及时将从美国邮寄来的材料，转载《京报》《北京画报》《北洋画报》等报刊媒体，追踪报道梅兰芳及剧团在美国演剧情况和受欢迎程度，营造舆论氛围。1931年，梅兰芳与余叔岩等人组织发起北平

1930年梅兰芳访美时寄给黄秋岳的明信片

国剧学会，黄秋岳为学会理事兼编辑组主任，主要负责《国剧画报》《戏剧丛刊》编辑、出版。

黄秋岳一代才人，诗文俱佳，怎奈其人晚节不保，令人痛惜不已。正如学者胡先啸为黄秋岳所作联语："渊渊叔度认当年，琢句能令众口传。择术俳优嗟共命，才人一例总堪怜。"因此，鉴于当时的政治氛围，《舞台生活四十年》中对于黄秋岳着墨极少，实为刻意回避，亦无怪于梅兰芳及其整理者。不过，人品归人品，才学归才学，投敌泄密是存在的，但是黄秋岳对于梅兰芳及其舞台艺术有推动之功也是事实。黄秋岳在"梅党"及梅兰芳艺术发展中的功劳，并不因其"汉奸"身份而剔除，对此我们应该褪去政治的纷扰，保持一种理性的、辩证的眼光加以考量。

左为罗瘿公

"中坚"罗瘿公

罗瘿公的名字，现在知道的人不多，不过提起"四大名旦"之程砚秋，可以说是无人不晓的。程砚秋创立程派，位列"四大名旦"，成一代宗匠，罗瘿公居功至伟，对程砚秋有知遇栽培之恩。那么，罗瘿公和梅兰芳又有什么关系呢？这就要从罗瘿公的捧角前史说起了。

罗惇曧（1872—1924），字掞东，号瘿庵，晚号瘿公，广东顺德大良人，著名诗人、剧作家。工诗善书，与梁鼎芬、曾习经、黄节合称"岭南近代四家"。出身顺德名门，父家劭进士及第，授翰林院编修。罗瘿公幼承家学，聪慧勤勉，稍长，就读于广雅书院、万木草堂，师从康有为，成为康有为的首席弟子。光绪庚子年（1900）

优贡生，入国子监，后科举失利，由广东学政张百熙举荐，应考经济特科，任京师大学堂译书局编纂、邮传部郎中、唐山路矿学堂坐办。民国时期，其历任总统府秘书、国务院秘书、参议、顾问等，不过虚职领俸而已。罗瘿公与袁世凯本是旧识，还是其子袁克文的老师。但袁世凯图谋称帝后，罗瘿公拒受其禄，秉持操守。对当时政局和官场失望的罗瘿公，远离权力，乃纵情诗酒，流连戏场。罗瘿公《病起六首》诗中有"有歌必须听，对酒不强醉"及"辍诗辄数月，制曲恒自珍"之语，盖纪实也。罗瘿公在末世政局与寄情歌场之间，作出了"头白歌场只放颠"的人生选择。

民国初年，罗瘿公与易实甫、樊樊山诸遗老征歌选舞，与梨园名伶时有往还，奖掖后进，宣南乐部没有不

（前排左起）许伯明、齐如山、沈亮超、村田、张镠子、
李释戡、吴仲言；（后排左起）萧紫庭、姚玉芙、梅兰芳、
胡伯平、罗瘿公

识罗瘿公的。1913 年，罗瘿公曾作《观梅郎登场戏占四绝》，其中一首诗曰："车子当筵意态新，梅花占断九城春。石头老去瑶卿倦，法乳传衣此替人。"其时梅兰芳刚崭露头角，剧艺精进，罗瘿公赏识尤甚，推许梅兰芳为继陈德霖、王瑶卿之后的旦角传人。梅兰芳色艺冠绝一时，为京中第一红伶，罗瘿公对其极为赞赏，宠以诗文，与梅兰芳左右最相友善，为"梅党"中人，是缀玉轩中的常客，此时尚不知有程砚秋其人。此后，罗瘿公揄扬梅兰芳的诗文日见报章，主动参与梅兰芳新戏创作，修润词曲，成为梅兰芳艺术道路上的良师益友。

在梅兰芳的新戏创作中，罗瘿公始终参与其间，充当编剧、顾问的角色，更常润饰曲词，参谋建议。如罗瘿公对《天女散花》一剧，就多有参详。《天女散花》

故事取材于佛教《维摩诘经》，讲维摩示疾，如来命天女至病室散花，以验结习。在编排之初，罗瘿公将所藏敦煌石室维摩经残卷示出，作为剧作创作素材，梳理故事脉络，打磨剧词。罗瘿公为梅兰芳编剧煞费苦心，特意购买昆曲剧本、曲谱，研求编剧技艺。1922年，梅兰芳及"梅党"编排了一出古装历史剧《西施》，分头本、二本，剧作结构谨严，轻歌曼舞，首演后市场反响不错，其中罗瘿公出力最多，王瑶卿、李释戡也有所参订。

此外，罗瘿公乃当世名士，诗文功底深厚，是梅兰芳的诗文老师，在缀玉轩中为梅兰芳讲解诗文辞赋，兼研习书法。梅兰芳自二次赴沪后，交游益广，朋辈中多雅好书画、金石，耳濡目染，加上梅家有书画传统，梅兰芳经常临摹古画，故梅兰芳逐渐对绘画产生了浓厚的

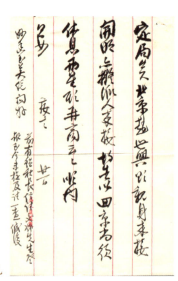

罗瘿公致梅兰芳手札

兴趣。罗瘿公建议梅兰芳："你对于画画的兴致这么高，何不请一位先生来指点指点？"经梅兰芳的首背后，罗瘿公向梅兰芳介绍了名画家王梦白，在王梦白这位开蒙老师的指授下，梅兰芳开启了绘画之路，同时也让后人

124

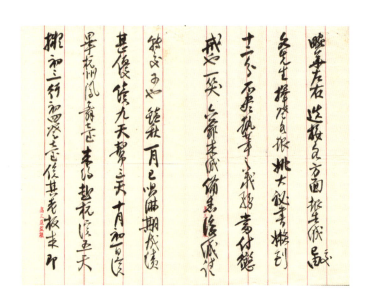

见识了绘画界中的"另一个梅兰芳"。此外，天津《北洋画报》曾载罗瘿公致梅兰芳遗信两封，其一云"我的小儿子亲手制造你的名片，要我寄给你，也好顽，他常

罗瘿公书《赋牵牛花》

常问你好",从书信内容看,罗瘿公与梅兰芳二人关系亲密,其家人对梅氏也非常熟悉、友善。

1923年冬,罗瘿公病重住进德国医院,适值许少卿邀约梅兰芳赴沪演出,临行前,梅兰芳亲往医院探视。罗瘿公病情稍见好转,便提笔寄信沪上赵叔雍,关切询问梅兰芳此次演出成绩及社会反响如何,"罗瘿公顷有

賦牽牛花　有序

书抵高梧轩，详询畹事，具见关注。盖病起第一书，字迹滋钦，畹见之大感"，并作诗云："狂来世网难羁泄，才到冥幽又脱逃。穷骨练他三月苦，余年补足一生劳。自憎蟠腹肥终减，起看亭稍日每高。载酒琴歌留名在，也应还我续风骚。"诗尾跋云："畹华，我的病当真好了，死不了，又来作诗，写给你看，你临走时，到医院瞧我这狼狈的样子，你也很担心，如今看见我能作诗了，也可以放心了。"言辞间充满悲切、感伤，可想梅兰芳奉得手书，心里定是欣喜与酸楚杂陈。

可惜，天不假年，1924 年罗瘿公病逝于北京的德国医院，生无寸椽，殡于萧寺。其时，梅兰芳恰值第二次赴日本演出期间，惊闻噩耗，悲怆泫然，不能亲至灵前祭奠，特赠数百奠仪，亲作挽诗，诗曰："廿载荷深知，垂死犹闻相厚语；千缄余妙墨，穷愁都助远游悲。"后其丧仪由弟子程砚秋、堂弟罗复堪和好友冯耿光等人料理，营葬于西郊八大处，遵其遗嘱书"诗人罗瘿公之墓"七字竖于墓前，供后人凭吊。

"宣传部长"赵叔雍

　　赵尊岳（1898—1965），字叔雍，斋名高梧轩、珍重阁，江苏武进人。赵叔雍生于诗书之家，工诗善词，骈古文兼擅，卓然成家，是民国时期著名词学家、诗人。其父赵凤昌原是姚觐元、曾国荃的重要幕僚，后为晚清重臣张之洞赏识，倚为肱骨，社会上流传"两江总督张之洞，一品夫人赵凤昌"。其父在清末立宪、南北议和、东南互保等影响近代中国历史进程的重大政治事件中都扮演着重要角色，有"民国产婆"之誉。赵叔雍自幼聪慧，古文功底扎实，师从清末四大词人之况周颐学习填词，同当时叶恭绰、唐圭璋、龙榆生、夏敬观、赵万里等名流相友善；年方弱冠，即有《和小山词》传世，为词坛前辈所激赏。赵叔雍平生最慕东坡居士，常引以自

丁卯仲冬攝于綴玉軒園中
李釋戡吳仲言黃伯權黃秋岳齊如山馮有爲趙叔雍梅宛華
高孟一彭景孟姚玉芙汪楞伯徐超侯

1927 年赵叔雍（中立者）、梅兰芳（左六）、冯耿光（右六）、齐如山（右五）、黄秋岳（右四）、李释戡（右一）等人于缀玉轩中

况。他致力于明词的收集、整理，在民国词坛成就斐然，冠绝侪辈。自上海南洋公学肄业后，赵叔雍入职上海《申报》馆，主理笔政，深受申报经理史量才器重。陈巨来《安持人物琐忆》记载赵叔雍事略："据闻叔雍为南洋公学毕业者，赵（凤昌）以《申报》大股东，故叔雍得为该报总秘书名义，能指挥一切者（一说，只监察员名义云）。"抗战军兴，时局诡谲，赵叔雍落水入汪伪政府，并任要职，成为其一生涂抹不去的污点。1944年，赵叔雍先后出任汪伪政府铁道部政务次长、伪行政院政务委员、上海市政府秘书长，还曾任最高国防委员会秘书长、中央政治委员会委员、宣传部长等。

赵叔雍作为名门之子，歌场流连，诗文酒会上填词赋诗，一副名士派头。赵叔雍与当时京沪梨园名角梅兰

1927年赵叔雍来京，与梅兰芳、冯耿光等友人在缀玉轩雅集

芳、程砚秋、余叔岩、荀慧生、朱素云、赵君玉等多有交谊，尤与梅兰芳过从最密。1918年，赵叔雍进入报界后，得工作便利，在报刊撰文宣传梅兰芳不遗余力。《申报》副刊自1913年梅兰芳首次赴沪演出开始至1949年停刊截止，在长达三十余年的时间跨度里从未间断对梅兰芳的宣传，甚至在20世纪20年代特辟"梅讯"专栏，其报道力度和持久度在中国演艺史和新闻传播史上都是空前的。当然，以社会舆论宣传为主旨的《申报》将焦点聚集在梅兰芳身上，抛开梅兰芳是当时中国戏曲界最具市场号召力的名伶及其个人魅力的因素，痴迷梅兰芳及表演艺术的赵叔雍供职于《申报》，无条件地为梅兰芳做"吹鼓手、宣传员"，起到了推波助澜的作用。

趙叔雍　賀湘槎　文公達　梅畹華　狄楚青　張镠子

此編者

珍視因并附刊於

圖回憶舊游彌加

重來海上復展斯

以留鴻爪頃畹華

雍諸人合撮一影

公達賀湘槎趙叔

狄楚青梅畹華文

而至者有張镠子

影滬上名流不期

小麟君曾邀往攝

心照相館主人徐

畹華前年游滬心

（左起）赵叔雍、贺湘槎、文公达、梅兰芳、狄楚青、张镠子

134

"梅党"健将赵叔雍对于梅兰芳的追捧是众所周知
的。曹聚仁《听涛室人物谭》形象地描述赵叔雍，"他
是有名的'梅迷'，梅派的忠臣，何谓忠臣？即是梅兰
芳上场，他们都已入座，梅兰芳唱完了，他们都走了，
以示'不二色'之意"。掌故大家高拜石所作《记珍重
阁主赵尊岳》中记载："叔雍对平剧有甚深的嗜好，而
且是标准梅迷，和齐如山李释戡等同称'梅党'。"有文
章说"当初第一个捧他（梅兰芳）的是冯耿光。后来他
到上海来演过几次戏，上海方面最赏识他、捧之最力的，
要算赵叔雍先生。一时捧梅者，有北冯南赵之称"，将
赵叔雍与"梅党"领袖冯耿光并称。这些记述足以表
明赵叔雍的"梅党"身份，突显了他在"梅党"群体
中不可替代的角色定位。

"捧梅宣传部长"赵叔雍恪守职责，以捧梅为己任，为了更好地宣传梅兰芳及其舞台艺术，在申报特辟"梅讯"专栏，以新闻写实的手法为梅兰芳做起居注释，除梅兰芳的舞台艺术外，交游宴会、行程安排、言行举止、饮食卫生，逐日记载，囊括殆尽，无不特详。这种全面、深度、立体的宣传策略，极大地满足了社会人士对梅兰芳的好奇心理。"宣传部长"之称绝非空穴来风，确为据实之论。

除为梅兰芳做"起居注"外，在梅兰芳 1930 年访美前的数年筹备期间，《申报》从 1925 年 3 月开始，便刊载关于梅兰芳赴美演剧的各种讨论，赵叔雍为此倾力尽责，积极参与筹划宣传事宜。此外，关于梅兰芳赴美的宣传品编译及印刷事务，赵叔雍亦出力不少，由他出

梅兰芳(前排左二)与文公达(后排左三)、
张镠子(后排左一)、赵叔雍(后排左二)、
郑子褒(前排右一)等报界人士合影

面与商务印书馆接洽，齐如山在《梅兰芳游美记》中说，"以上两种编译印刷，都由赵叔雍君代为斟酌办理，并且就近在上海与商务印书馆接洽，为这事赵君曾费了不少的精神"。

作为"梅痴"的赵叔雍，曾为梅兰芳编制新剧《罗浮梦》，剧写隋将赵师雄被贬至罗浮山下，在梅花丛中梦见仙子的故事。从剧本内容看，赵叔雍假借赵师雄旧事，阐发自己的心声，既以同宗赵师雄自拟，那么，梦中舞动"散花"身段的梅花仙子，自然非梅兰芳莫属了。可惜，此剧因事搁浅，未能搬演舞台。

"忠臣"文公达

文公达（1881—1933），字永誉，号公达，江西萍乡人。文公达出身官宦之家，一门风雅，家学渊源，自高祖辈至文公达止，代代有文集刊行。祖父文星瑞，道光年间中举人；父亲文廷式进士及第，授翰林院编修，为晚清名臣、清流人士，支持维新变法，后因变法失败遭革职。

文公达经私塾发蒙，遂入南昌经训书院，师从经学大师皮锡瑞，后攻读南洋公学特班；肄业后，附荫生，历保知县，后任长芦盐运使，民国后一直任国务院佥事、秘书、帮办等文职。文公达虽一直在政界任职，不过与当时许多文人一样，兼在新闻界主理笔政，任《新闻报》

《时报》记者、副总编辑，属于政界、报界两头跨的双栖人物，人脉极广，结识海上各界文人。文公达才华卓越，诗文均工，以文会友，相交者多 时俊彦，如叶恭绰、陈诗、夏敬观等。

文公达得与梅兰芳结识，乃是由"梅党"中坚、名士罗瘿公引介。自文、梅二人相识以后，交往益密，每逢梅兰芳赴沪演出，文公达便利用报界宣传之便利，对梅兰芳家世、艺术、品行、轶闻大事宣扬，长篇短语，不绝于报章，大行"捧梅"之能事。秦瘦鸥在《捧角集团——梅党、白党》文中记述："《新闻报》的副总编辑文公达，江西人，为当年教过珍妃书的名士文廷式的后代，旧文学根底很深，梅兰芳在沪演出期间，文公达写的捧场诗文也不断在《新闻报》副刊《快活林》出

梅兰芳与袁寒云、赵叔雍、文公达、黄秋岳、吴性栽、
王元龙等人合影

现。"文史掌故大家郑逸梅记述文公达追捧梅兰芳情形:
"公达一度入《新闻报》主笔政,又为《时报》辑附刊,
捧梅兰芳不遗余力。梅演期满,北上燕京,公达特向报
主狄平子乞假,亲送梅至江宁,及渡江,津浦车开行,
始惘然而归,较诸珍重阁主每日为梅作起居注,刊载《申
报》上,有过之无不及也。"登文揄扬外,竟至告假迎
来送往,文公达"捧梅"之热忱可窥一斑。以上种种,
可证文公达追捧梅兰芳之勤力,确为梅党对外宣传、制
造舆论的重要成员。

文公达作为"梅党"驻守上海的重要成员,其不辞
辛劳、前后奔走的身影出现在梅兰芳各项社会活动中。
1922年,梅兰芳赴沪演出,"日前午后文君赴平安里进
谒,谈至半小时。文君,固江西云起轩之后也",云起

轩即文公达之父文廷式；"文公达君已定期今日宴畹、凤、妙、玉矣"；"文公达昨在畹寓，谓屡次南下，均琐冗不博暇晷，何当只身南来，领略山水之佳趣，而杭而苏至于金焦，荡涤尘襟，必足以启发慧心不少"，期盼梅兰芳畅游江南，洗尽铅华；"晚应文公达之约馆于东亚旅馆"。1923年冬，梅兰芳偕言菊朋赴沪演出，"二十七晚十时，梅、王、陈、言、姜、姚抵沪，即由迎迓者偕乘汽车，暂寓五洲旅舍。计删景参、李徵五、林植斋、文公达、贺湘槎、何诚之、赵叔雍及园主"，文公达在寒冬腊月，冷夜候立迎接；1928年12月上海大光明影戏院开幕之日，"是夕九时，举行正式开幕礼，来宾达二千人。伶界大王梅畹华君偕冯幼伟、潘志诠、赵叔雍、文公达、刘云舫、贺艻垞诸君同莅"，相伴随行。某次，梅兰芳出演于法租界共舞台，文公达身为忠诚"党员",自然对其尽心呵护,梅兰芳每日从寓所往返戏院均乘专车,舞台主人派专人随侍左右,但文公达依然放心不下,欲与梅兰芳同乘一车,以尽护送之责,却因车内空间狭小无处相容,为此事竟致与舞台主人发生龃龉,对方扬言要对文公达不利,以示惩戒,后在友人李徵五等人周旋下,才化解了一场危机。

梅兰芳每次赴沪,演出之暇,都要拜谒社会名流,酬答频繁。北山西路的吉庆里是梅兰芳必往之处,此地既有梅兰芳"执弟子礼"的艺术大师吴昌硕的寓所,还有文公达的居所(今山西北路 457 弄 2 号)。如遇文家喜庆事,梅兰芳更是登门祝贺,"文公达先生昨为女公子完姻,豌特亲往道贺"。仅举数例,亦可想见文、梅二人的关系之绵密。

畹華先生 惠存

沙發敬贈

梅兰芳与袁寒云、文公达、姜妙香、姚玉芙等人合影

　　文公达作为名门之后，博学多识，于政界、报界均有所建树，既有对社会时政的针砭与对民主立宪的声援，也有对传统戏曲的眷恋和推许，尽管这种喜欢可能更多出于对梅兰芳及其表演艺术的认可，但是甘愿为梅兰芳尽宣传之义务，不惜奔走效劳，也是难能可贵的。对此，著名报人张丹斧曾在《晶报》赋诗揶揄，其中有"芥翁药下还能省，公达梅边也带行"一句，算是道尽了其中甘味，俨然文公达是重要的梅边人物。

　　1923年，梅兰芳而立之年时，文公达作寿文为祝贺，文辞隽永，推崇无比。现抄录如下：

《寿梅畹华三十初度》

长安人事如乱麻，长安人物如淘沙。凝然不动强台上，十二年来一畹华。畹华家世声名擅，先朝旧值涵香苑。名重争趋九陌尘，义高自毁千金券。雏孙生小玉娉婷，绕哳歌喉老辈惊。学术自关门第事，万家史兴惠家经。十五盈盈春未半，出门人拥羊车看。名士倾城意尽消，美人揽镜肠先断。万花供养四禅天，粉墨余闲翰墨研。玉貌珠喉翻胜昔，匆匆谁信近中年。蓦思甲午郎生日，辽阳不守王师衄。天意如为洗国羞，应运从教诞琼质。惊鸿果也照扶桑，得胜歌场等战场。更有大秦千万族，凝眸愁阻太平洋。我闻姑苏王紫稼，梅村一曲增声价。又闻西蜀魏长生，秦腔晚出倾都下。盛名都莫向郎夸，一语吾能奠万哗。能使天骄识麟凤，应从井底陋群蛙。忆昔相逢如旧雨，一日心期千劫许。俄见红云海上来，洞霄便嘱权提举。低首华鬘师利王，花宫检点小排当。抱琴甘作邝书记，认得二生云鬉娘。黄花留到重阳后，芦草园边一樽酒。年年献寿作麻姑，今宵转为麻姑寿。扬尘休更问当前，愿扩光明照大千。看取梅花汤沐邑，玫瑰万顷海天田。

"左右史"张谬子

张厚载（1895—1955），字采人，号谬子、谬公，别署养拙轩主，笔名聊止，江苏青浦（今属上海市）人，近代戏曲评论家。张氏诗书传家，其父张颉笺长期任职蒙藏院，就家庭环境来说，属于中产阶级。中学时，就读于北京五城学堂。五城学堂设有英、法、日诸语种，

（左起）梅兰芳、冯耿光、许伯明、张镠子、李释戡、齐如山

是新政实施后比较早进行新学实验的学校之一。期间，张镠子与任国文总教习的林纾过从甚密，研修古文，兼学山水，画笔不凡，师生之谊深厚。1912 年后，张镠子入天津新学书院读书，1915 年以优异成绩考入北京大学法科政治系；1919 年，在离毕业仅两个月时，被勒令退学。后其经友人介绍，供职于中国银行，后转入交通银行，直至退休。

张镠子生长于故都，正是皮黄繁盛时期，耳濡目染，自幼便酷嗜剧曲，读书期间，常于功课之余出入戏场，观后必记其见闻，系以评述，刊发在《亚细亚报》《公言报》等报上。所作剧评文笔晓畅，言之有物，绝非一般捧角文字可比。其时，他不过是一个年仅十五六岁的青年学生，竟博有中国最小的剧评家之赞誉。虽然年纪轻轻，于剧评一道却资历深厚。恰如余苍所评："镠子先生是最早期的剧评家，和他并时的人物，现存的，不过周剑云先生等极少数的几位而已。"然而，让张镠子名留史册却不是引以为傲的剧评，而是新文化运动期间那场关于新旧剧的大论争。在论战最为激烈时，张镠子以一人之力舌战新文化运动诸位主将，面对学术权威，没有选择怯懦退缩，始终坚持自己的戏剧观念，发文与之论辩，直陈中国旧剧的理论主张。

张镠子对梅兰芳的最初印象，始于他幼年时期，其时梅兰芳正附学于喜连成班。据张镠子回忆，"忆余幼时，尝从先君及诸师长，至广德楼观喜连成社演剧，其时该社最能叫座之戏，为梅兰芳、金丝红、小穆子之《二进宫》，兰芳时方初露头角，在该社已充台柱"，他对梅兰芳印象深刻，视为台柱。

民国初年，剧评之风刚刚兴起，正值青春洋溢的张豂子便以剧评闻名于世，评述文章时见报端。当时，作为剧界新星的梅兰芳头角崭露，声名鹊起，很快便进入张豂子的视野。两人相识于民国初年，张豂子曾回忆与梅兰芳的初识经过，描述十分详细：

余与梅相识，远在民国三四年间。时都中名流淑媛，为江淮水灾，借外交大楼开赈灾跳舞大会。余入场观舞，偶一回首，则梅适立余侧。因不揣冒昧，与谈跳舞与旧剧身段之异同，梅不知余为何人，乃不嫌唐突，亦述其所见。余喜出望外，归后立草一文，题曰《跳舞会中之

张镠子绘山田图轴

梅兰芳》，长数千言，刊之《亚细亚报》。其后该报主笔黄哲维先生，乃设宴于东兴楼，为余介见梅及冯氏，暨李释戡齐如山诸公。时哲维已与梁众异合办《公言报》，乃约余为任剧评，余曾作一诗赠梅，有"长忆繁华跳舞场，并肩小立看红妆，兹时笑语今皆记，此夜容华永不忘"等句，此为余与梅订交之始。

从回忆中可以看出，张豂子不但与梅兰芳探讨旧剧身段，还曾受邀与梅兰芳及冯耿光、李释戡、齐如山、黄秋岳诸人宴饮，并援为剧评，意味着梅兰芳及"梅党"对张豂子的认可和接纳。自正式与梅兰芳订交后，张豂子"捧梅"之力更甚以前，一有空暇便观梅剧、作戏评。张豂子对梅兰芳的推许，不仅是自我表白，也是时人所公认的。正如余苍所说"此君（指张豂子）对于梅兰芳的舞台艺术，鼓吹最早，是当时所谓'梅党'的中坚"。陈兼与说："缪子评剧颇存直道，一字之褒与一字之贬，皆为梨园所重视。

当时梅兰芳年方二十余岁，声容并茂，几欲空前，自然十分赞佩而为之揄扬，于是与梅及梅边诸友好如冯幼伟、罗瘿公、李苏堂、齐如山、许姬传、源来兄弟等，皆结有深厚之友谊，有'梅党'之目。"署名"太史公"回忆梅兰芳早期生涯时说道："民国初，梅畹华方露头角，实力捧场集团，有梅党之称，若冯幼伟、李释戡、齐如山诸先生，皆为主力分子，聊公张先生亦其中健将焉。或谓梅之成功，实梅党同仁之功，当无疑问。"

　　张謬子对梅兰芳的艺术不但推崇备至，而且如痴如迷，有人称"曾见到每本他看过的书上，都有他亲笔所画的朵朵梅花，他写稿子或写信给熟识的朋友，常喜爱在末一页纸尾空白的地方画上几朵梅花"，"他平日同人会面时，只寒暄一下就算了，若遇到有人同他谈起梅兰芳的艺术或京戏来，不仅他感觉津津有味，他还能使你亦感觉津津有味。或许因为他爱用'津津'作笔名吧"。二人自相识至终其一生，交往密切，张謬子始终关注着梅兰芳的艺术发展，每有新戏问世，张謬子的剧评文章随之发表，在谈论戏曲艺术时，无不加赞誉于梅兰芳，可以说是梅兰芳舞台艺术发展的见证者，更被誉为梅兰芳的"左右史"。著名编剧家陈墨香曾这样记述道："当日人们把畹华当作皇帝，謬子比作史官，左史右史，謬子一身兼任，简直是梅氏创业起居注。要考察二十年以

梅兰芳四十九岁生日时，张镂子所绘《山水》

来畹华在梨园势力并戏剧变化，缪子的稿件大有关系。"
将梅兰芳比拟帝王，张缪子譬为史官，陈氏此语虽为戏
谈，却足以体现张缪子与梅兰芳的关系是密不可分的。

《舞台生活四十年》中多次提及与梅兰芳有三十多
年交情的老友张缪子："关于梅先生的戏，最早是陶益
生先生在民初《亚细亚报》上发表过一篇评论。到了民
国二三年间张缪子先生起来提倡，《公言报》上常见到
他的作品。所以剧评一道，他可以说是开风气之先声。
他评梅先生的戏最多，也就是从这出《孽海波澜》开
始的。"

后来，这篇作于1914年的《梅兰芳之〈孽海波
澜〉》剧评被收入其专著《听歌想影录》中，张缪子认

（左起）许伯明、齐如山、梅兰芳、李释戡、张镠子

为《孽海波澜》是"以新戏而带唱工锣鼓，乃能深合社会趣味，藉以促进社会改良"，"梅伶舞台生活初步之转变"，其将之视为梅兰芳演戏风格的转型之作。其实，早在1913年《记周宅堂会戏》中，即已出现对梅兰芳表演的评语："此剧不重唱工，多看做派，兰芳表情已极精妙，惟其时白口稍嫌嫩弱，盖火候未到也。"其时梅兰芳以唱工、扮相和表情做派擅长，口白欠佳，缪子所下断语精到，切中要点。

作为"梅党"成员的张缪子恪尽职守，对于梅兰芳的剧作，无论老戏或新戏，几乎无剧不评，对梅氏艺术进行细致剖析。如梅兰芳出演《长坂坡》中糜夫人，"'投井'一场，做派尤为绝精绝妙，糜夫人投井后，座客纷然离座，足见座客之看长坂坡，乃专为看糜夫人

（左起）姚玉芙、许伯明、梅兰芳、（不详）、舒石父

而来。盖长坂坡名角虽多，而其最为座客眼光中之焦点者，仍不能不推扮糜夫人之梅兰芳也"；又如梅兰芳、王凤卿合演《武家坡》一剧，他认为"兰芳扮王宝钏，帘内倒板'适才邻居对我言'一句，宛转凄绝，上场慢板如'站立坡前用目看'之'看'字及'那一旁站定了一位军官'之军官字，腔调胎息陈王，曲尽顿挫抗坠之妙"；评《〈天女散花〉之初演》："盖幔启而散花天女，涌照眼前矣，此时台下万众，亦无不合掌赞叹，至'凤吹荷叶煞'一段昆曲，唱腔愈美，舞蹈尤中节悦目，散花时舞法加紧，步骤合度，神光离合，几不可逼视，加以五色电光，映射异彩，诸天色相，恍落人间，更令人兴观止之叹。此一幕为全剧主眼"；评《木兰从军》："此为梅郎吃力之戏……连唱带做，异常出色，此两折昆曲，唱工身段，皆颇繁重，与《探庄》相似（《探庄》起首，亦系此两折），而手持马鞭与枪，回翔腾跃，尤觉别有精彩，后本则唱小生西皮倒板，及慢板一段，最为动听，而扎靠穿厚底靴，居然态度稳健，此尤非梅郎之绝顶聪明不能办。"

张谬子时刻关注梅兰芳新剧编演情况，遇有相关史料，便加以收集整理，为梅兰芳编排新剧提供文学支撑。张谬子曾致书李释戡，曰："近偶阅清雍正年间陆仰山所作《木兰诗》，原序云'木兰姓魏氏，亳州人也，随季父侵辽十二年而归，炀帝知之，纳诸宫，木兰遂自杀焉，因赠孝烈将军，立庙于里，俗以四月八日祀之，呜乎，真无忝于谥哉。云间别驾山阴魏公过其祠，为文以记之，且徵诗歌以吊之，亦表扬潜德之意也。乃赋长篇云……'篇中有'忽传天语徵宣促，名姝欲得藏金屋，若将歌舞

163

朝至尊，鲛绡三寸埋香玉'等句，按此节为历来考证木兰所未及，弟曾对许源来言之，畹华、慧珠所演木兰剧，如将此节编入，更可增高木兰之评价。现亟待查阅，拟烦葆玥检取，由公转下。"通过这一事例，可见张謇子始终关注梅兰芳及其表演艺术，对于《木兰从军》剧本的完善和木兰人物形象的塑造，以及梅兰芳的舞台艺术的完整性，张謇子都起到了促进作用。

张謇子出于对中国旧剧的热爱和坚守，进而对梅兰芳青睐于心，运用笔下文墨极力揄扬梅氏艺术，从某种程度上讲，既有对自己剧曲嗜好的坚持，更是对旧剧美学特性的阐发，两者相互契合。在张謇子心目中，梅兰芳不仅是中国传统戏曲的代表人物，更是改良旧剧、开创中国戏曲新纪元的最佳人选。

尾　声

近代社会，风起云涌，梅兰芳这颗巨星的出现绝非偶然，除梅兰芳自身的天赋和勤奋苦学外，更是时代、社会诸多社会因素综合促成。其中，聚集在梅兰芳身边的智囊团，融汇中西戏剧精华，顶层设计，取法昆曲，引舞入剧，开创了属于梅兰芳的时代，形成 20 世纪中国戏剧史上的"梅兰芳现象"。他们曾经显赫一时，或是将军，或是儒学名士，皆为社会精英。他们甘为绿叶，倾尽全力，成就了"四海弥天一浣郎"——梅兰芳。在舞台聚光灯下，梅兰芳无疑是万众瞩目的焦点。然而在台前幕后，始终有着一群志同道合的朋友为之奉献一切。在京剧历史的长河中，他们的名字可能不会出现，甚至可能为人所遗忘。不过，他们与梅兰芳是相伴相生的，他们的理念和精神将借由梅兰芳在后世流传，从而留下属于自己的篇章。

图书在版编目（CIP）数据

君子如党：梅兰芳与"梅党" / 张国强编著 .—北京：知识产权出版社，2022.1
（梅兰芳艺术人生文丛 / 刘祯主编）

ISBN 978-7-5130-8012-5

Ⅰ.①君… Ⅱ.①张… Ⅲ.①梅兰芳（1894—1961）—生平事迹 Ⅳ.① K825.78

中国版本图书馆 CIP 数据核字（2021）第 263550 号

策　　划：刘　祯　　王润贵	责任编辑：刘　嚣
装帧设计：智兴设计室·段维东	责任校对：谷　洋
内文制作：智兴设计室·张国仓	责任印制：刘译文

君子如党

梅兰芳与"梅党"

张国强　编著

出版发行	知识产权出版社有限责任公司	网　　址：http:// www.ipph.cn
社　　址：北京市海淀区气象路50号院	邮　　编：100081
责编电话：010-82000860转8119	责编邮箱：liuhe@cnipr.com
发行电话：010-82000860转8101/8102	发行传真：010-82000893/82005070/82000270
印　　刷：天津市银博印刷集团有限公司	经　　销：各大网上书店、新华书店及相关专业书店
开　　本：787mm×1092mm　1/32	印　　张：5.5
版　　次：2022年1月第1版	印　　次：2022年1月第1次印刷
字　　数：63千字	定　　价：39.00元

ISBN 978-7-5130-8012-5